ISBN : 978-2-211-09225-8

© 1999, l'école des loisirs, Paris
Loi numéro 49 956 du 16 juillet 1949 sur les publications
destinées à la jeunesse : septembre 1999
Dépôt légal : février 2009
Imprimé en France par Aubin Imprimeur à Poitiers

pour lila

le Cauchemar de Zaza

CETTE NUIT ZUZA A FAIT
UN HORRIBLE CAUCHEMAR.

IL Y AVAIT UN MONSTRE TRÈS GRAND.

ET TRÈS GROS. AVEC UNE LONGUE GUEULE
PLEINE DE DENTS POINTUES.

IL AVAIT DES YEUX COMME DES BOULES,
ET DES GRANDES PATTES GRIFFUES
AVEC DES DOIGTS EN PETITES SAUCISSES.

ET IL ÉTAIT ENTIÈREMENT ROSE.

le voyage

AUJOURD'HUI ZUZA EST FÂCHÉE.
« VOUS M'ÉNERVEZ TOUS », DIT-ELLE,
« JE M'EN VAIS. »

ZUZA PREND SA VALISE
ET MET SES LUNETTES NOIRES.

ET ELLE MONTE DANS UN TRAIN.

ELLE VISITE PARIS, ELLE VISITE ROME.

ELLE VISITE LA MONTAGNE ET ELLE VISITE LA MER.

QUELQU'UN MONTE DANS LE WAGON DE ZUZA.

« VOULEZ-VOUS MADEMOISELLE ZUZA VENIR BOIRE DU THÉ AVEC MOI ? » ZUZA PENSE : CETTE PERSONNE EST TRÈS SYMPATHIQUE.

IL Y A UNE FÊTE À L'ARRIVÉE.
ON MANGE DES GÂTEAUX, ON BOIT DU THÉ.

CHACUN S'EXCLAME :
« FAIS COMME CHEZ TOI, ZUZA ! »

la fête

AUJOURD'HUI ZUZA EST TRÈS EXCITÉE :
ELLE A ORGANISÉ UNE PETITE FÊTE.
ELLE SERT DU THÉ ET DES GÂTEAUX
À TOUT LE MONDE.

« ET MAINTENANT,
ON DANSE » DIT ZUZA.

« INTERDIT DE S'ARRÊTER,
LA FÊTE N'EST PAS TERMINÉE ! »
HURLE ZUZA.

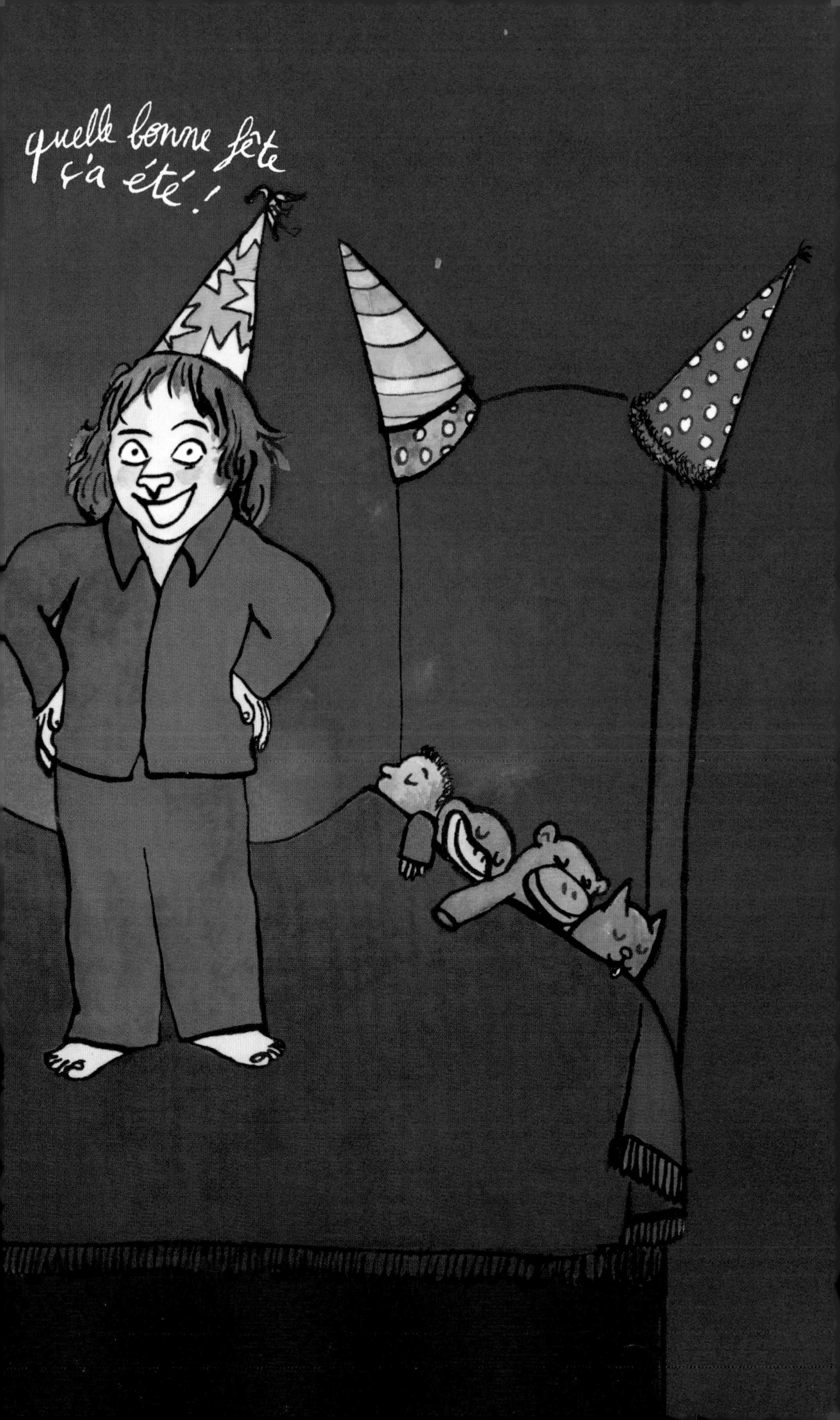
quelle bonne fête ça a été !